劉福春・李怡 主編

民國文學珍稀文獻集成

第三輯

新詩舊集影印叢編　第110冊

【臧克家卷】

罪惡的黑手

上海：生活書店 1934 年 10 月初版

臧克家　著

自己的寫照

文學出版社 1936 年 7 月出版

臧克家 著

花木蘭文化事業有限公司

國家圖書館出版品預行編目資料

罪惡的黑手／自己的寫照／臧克家　著 — 初版 — 新北市：花木蘭文化事業有限公司，2021〔民 110〕

84 面／138 面；19×26 公分

（民國文學珍稀文獻集成・第三輯・新詩舊集影印叢編　第 110 冊）

ISBN 978-986-518-473-5（套書精裝）

831.8　　10010193

ISBN-978-986-518-473-5

9789865184735

民國文學珍稀文獻集成・第三輯・新詩舊集影印叢編（86-120 冊）
第 110 冊

罪惡的黑手
自己的寫照

著　者　臧克家
主　編　劉福春、李怡
企　劃　四川大學中國詩歌研究院
　　　　四川大學大文學學派
總編輯　杜潔祥
副總編輯　楊嘉樂
編　輯　許郁翎、張雅淋、潘玟靜　美術編輯　陳逸婷
出　版　花木蘭文化事業有限公司
社　長　高小娟
聯絡地址　235 新北市中和區中安街七二號十三樓
　　　　電話：02-2923-1455／傳真：02-2923-1452
網　址　http://www.huamulan.tw 信箱 service@huamulans.com
印　刷　普羅文化出版廣告事業
初　版　2021 年 8 月
定　價　第三輯 86-120 冊（精裝）新台幣 88,000 元

罪惡的黑手

臧克家 著

生活書店（上海）一九三四年十月初版。原書四十二開。

創作文庫
罪惡的黑手
臧克家
上海生活書店發行

創作文庫

（十四）

罪惡的黑手

臧克家

上海生活書店發行

中華民國二十三年十月

目次

序

這本詩一個月前就交給了書店，本來這時就可以印好的，後來因爲裏面的兩篇詩在內容上有點不合適，只好删去一篇，另一篇換一條尾巴，而被删的一篇那雄健的音節自己很愛，在序言中曾經特別提出過作爲比『烙印』進步的證例，於今既然這樣，序言不得不重寫了。

回想『烙印』出世後的反響，使我印這第二本詩時感到了很大的不安！如果有人要問這本詩比第一本進步了多少，那眞是不容易爽口回答的，對這，自己的心也彷彿做不了尺度似的。反正又不能這樣解釋：『烙印』是幾年中作品選汰的結果，而這是最近期間成績的總合。因爲讀者只知道看貨色(那是應該的)，不能以時間的關係來原諒或是非難一個作品的。不過從這本詩裏可以看出我的一個傾向來：在外形上想脫開過分的拘謹漸漸向博大雄健處走，這可以拿『罪惡的黑手』做例子，雖然這篇詩的技巧上缺陷還很多。還有『答客問』的音節自己也感到歡喜。內容方面，竭力想抛開個人的堅忍主義而向着實際着眼，但結果還是沒有擺脫得淨。

我是鄉下人，生性愛鄉村，所以寫來也還算地道，不過在這裏面的一些詩中我只畫出了一個恐怖破碎的鄉村的面孔，沒能夠指出一條出路來，許多限制使我只能這樣。另外有一些小詩算是反映了時代的苦悶，然而是那樣薄弱！

我希望這個集子結束了我的短詩。老是這樣寫下去，自己不滿意不必提，是會辜負多數希望着我的人們的。我已經下了最大的決心，最近的將來就要下工夫寫長一點的敘事詩，好像敘事詩在我國還很少見，應該有人向這方面努力，老舍兄告訴我他已在開始著了。

這本詩的名字原想用『壯士心』的，後從廣田之琳的意見改成了今名，是覺得這樣好些。還有『都市的春天』也是聽從了他倆才加進去的，他們誠懇的關心着我的東西，使我非常的感激和高興。

二十三年六月二十二日雜青萌。

盤

刻着各色的夢，寂滅了，
向你睞一下空虛的眼，
像一粒無根的砂石，
掛不住萬古的懸岸。

一個跌不死的希望，
不倒翁似的永不怕累，

1

硬撐住你跌倒，跌倒
又爬起來的雙腿。

日子過得沒有騙人，
這你自己一定知道，
試試什麼壓住了心，
這麼沉又這麼牢靠。

總得抖一股勁朝前走，

2

像盤一座陡峭的山頭，
爬過去就是平原，
心裏無妨先存着個喜歡。

二一年。

小婢女

她才認識了自己，
同時也認識了命運的鐵臉，
是用了怎樣的一股力量呵，
從十萬匹馬力貪玩的吸引裏，
她嚴酷的牽回了
不滿十個年頭的心，
還有那條像株小樹的身軀，

4

也不讓它在遊戲中滋長；
她緊張起生命的全力，
給白天，黑夜，一刻一刻的時間
深鐫上辛苦的殷勤。
她眞聰慧，
甚至聰慧得有點可憐了，
點化快樂的一雙天眞的眼睛，
現在卻專用來測人的眉頭了，
輕雲樣飄忽的孩子的笑，

該是一種可以感謝的恩德吧？
媽媽的心更是慈悲的，
生了她，於今又活了她，
她自己呢？情願被咀嚼在
萬里外故鄉災荒的大口裏。
這小生命將活得很長很長，
好用一顆連記憶上
也尋不到一點快活的心，
去測人生最深的悲哀。

一九二三年夏

罪惡的黑手

一

在這都市的道旁，
劃出一塊大的空場，
在這空場的中心，
正在建一座大的教堂。

8

交橫的木架比蛛網還密，
像用骷髏架起的天梯，
一萬隻手，幾千顆心靈，
從白到黑在上面搏動。

這稱起是壓倒全市的一件神工，
無妨用想像先給它繪個圖形：
『四面高牆隔絕了人間的罪惡，
裏邊的空氣是一片靜寞，

一根草，一株樹，甚至樹上的鳥，
只是生在聖地裏也覺到驕傲。

大門頂上橫一面偉大的十字架，
街上過路的人都走在它底下，
耶穌的聖像高高在千尺之上，
看來是怎樣的偉大，慈祥！

他立在上帝與人世中間，

用無聲的話傳達主的教言：
「奴隸們，什麼都應該忍受，
餓死了也要低着頭，
誰給你的左腮貼上耳光，
頂好連右腮也給送上，
忍辱原是至高的美德，
連心上也不許存一絲反抗！
人間的是非肉眼那能看清？
死過之後主自有公平的判定。」

早晨的太陽先掠過這聖像，
從貴人的高樓再落到窮漢的屋上，
黃昏後，這四周嚴肅得叫人害怕，
神堂的影子像個魔鬼倒在地下。

早晨的鐘聲像個神咒，
（這鐘聲不同別處的鐘聲。）
牽來了一羣雜色人等，

男女牧士們走在前面，
黑色的頭巾佩着長衫，
微風吹着頭巾飄蕩，
彷彿罪惡在光天之下飛揚。

後面逐着些漂亮男子，
肥白的臉皮上掛着油絲，
脚步輕趨着，低聲交語，
用心做了一臉肅穆。

還有一隊女人綴在後邊，
脂粉的香氣散滿了庭院，
一個用長臂挽着別個，
像一個花圈套一個花圈。

陽光像是主的愛，照着這羣人，
也照着他們脚下的石階，
鐘聲一陣暴雨的急響，
送他們進了神聖的教堂。

14

中間有的是剛放下了屠刀，
手上還留着血的腥臭；
有的是因爲失掉了愛情，
來到這兒求些安寧；
有的在現世享福還嫌不夠，
爲來世的榮華到此苦修；
有的是宇宙傷了他多情的心，
來對着耶穌慰藉心神；
有的用過來眼看破了人生，

來求心上刹那的眞誠；
有的不是來爲了求恕，
不過爲追逐一個少女。
雖是這些心的顏色全然異樣，
然而他們統統跪下了，朝着上方。

牧士登在台上像威權臨着這羣衆，
用靈巧的嘴，
用靈巧的手勢，

16

講着教義像講着眞理。
他叫人好好管束自己，
不要叫心做了叛逆，
他怕這空說沒有力量，
又引了成套懲勸的舊例。

每次飯碗還沒觸着口，
感謝的歌聲先顫在咽喉，
晚上每在上床之前，

先用祈禱來做個檢點，
這功課在各人心上刻了板，
他們做來却無限新鮮。」

二

然而這一切，一切未來的繁華，
與臉前這一羣工人無干，
他們在一條辛苦的鐵鞭下，
只忙着去提契約上的期間。

18

有的在幾千尺之上投下隻黑影，
冒着可怕的一低頭的暈眩，
石灰的白霧迷了人形；
泥巴給人塗一身黑點，
鐵錘下的火花像彗星向人掃射，
風掀着木屑直往鼻眼裏攢。

這裏終天奏着狂暴的音樂：

19

人聲的叫喊，軋軋的起重機，
你聽，這是多麽高亢的歌！
大鋸在木椿上奏着提琴，
節奏的鐵砧扣着拍子，
這羣工人在這極度的狂樂裏，
活動着，手應着心，也極度的興奮。

有的把巧思運入一方石條的花紋，
有的持一塊木片仔細的端詳，

29

有的把手底的磚塊飛上半空，
有的用罪惡的黑手揑成耶穌慈悲的模樣。

這羣人從早晨背起太陽，
一天的汗雨洩盡了力量；
平地上，一萬幕燈火閃着黃昏，
燈光下喘息着累倒了的心。

他們用土語放浪的調笑，

雜一些低級的詼諧來解疲勞，
各人口中抽一縷長烟，
煙絲中雜着深味的鄉談，
那是家鄉場園上用消夏夜的，
永不嫌俗，一遍兩遍，不怕一萬遍，
於今在都市中他們也談起來了，
談起也想起了各人的家園。
他們一點也不明白為什麽要蓋這教堂，
却驚歎外洋人眞是有錢，

22

同時也覺得說不出的感激，
有了這建築他們才有了飯碗。
(雖然不像是爲了吃飯才工作，
倒是像爲了工作才吃飯。)

這大建築把這大衆從天邊拉在一起，
陌生的全變成親熱的兄弟，
白天忙碌緊據在各人的心中，
沒有閒暇去做思鄉的夢，

黑夜的沈睡如同快活的死，
早晨醒來個奴隸的身子。
是什麼造化，誰作的主，
生下他們來爲了吃苦，
太陽的烤炙，風雨的浸淋，
鐵色的身上生起片片的黑雲，
機器的凶獰，鐵石的壓軋，
誰的體軀是金鋼鑄成？
室家的累贅，病魔的侵襲，

24

苦澀中模糊了無色的四季，
一陣頭暈，或一點不小心，
墜下半空成一攤肉泥，
這眞算不了什麼希奇，
生死文書上勾去個名字；
然而他們什麽都不抱怨，
只希望這工程的日期延長到無限。

三

不過天下的事誰敢保定準？
今日的叛逆也許是昨日的忠心，
誰料定大海上那刹起風暴？
萬年的古井也說不定會湧起波濤！
等這羣罪人餓瞎了眼睛，
認不出上帝也認不清眞理，
狂烈的叫囂如同沸水，
像地獄裏奔出來一羣魔鬼，
用蠻橫的手撕碎了萬年的積卷，

26

來一個無理性的反叛！
那時，這教堂會變成他們的食堂或是臥室，
他們創造了它終於為了自己，
那時這兒也有歌聲，
不是神祕，不是耶穌的贊頌，
那是一種狂暴的嘻嚷，
太陽落到了罪人的頭上。

九月五日全夜寫強半，六日完成。

二一一年於青島。

亮的影子

爬樓梯似在殘冰上試探着邁步，
地板也像要逐步傾陷，
在這樣旅舍的兩頁木板上，
每天晚上我大睜着寂寞的雙眼。
間壁是一張沙漠的白紙，
不亮的燈光在上面開出個亮的影子。
是那麼靈動，却全不自覺，

28

像一隻神烏無心的飄過銀河。
震動的是那神秘的鬢影，
飄飄地，彷彿飄飄地要將人飛騰。
那嬌撓的髮辮，一條生力的鞭，
鞭破了這客夜的寂寞，寂寞的我的心境。
有時它也會定住，有意讓我細細端詳，
端詳那轉動的眼輪，腮邊的笑蕊，
嘴角上跳動的天眞，那靜裏的美。
我也聽熟了，在深更裏，

不穩的地板上那一串脚步的顫動，
接着，簇簇的影子來紙上翻騰，
那戲弄的情態醜得人睜不開眼，
我聽到人家的調笑，她無知的打預。
過一刻，她的鼾聲從我耳中響動，
這鼾聲響出了她心的潔白，
這時，笑浪隨著她落了潮，
剩一個婦人滴打的語絲，
像寒漏支持著這殘更。

30

每晚，用變幻的姿態
這影子逗著我的眼睛，
我能夠合起眼皮
用心給它剪一副有聲的影。
今天晚上，夜絲絲的長了，
今天的夜也格外寂聊，
地板再不把一串聲響打動我的傾聽，
燈光給白紙留下了個老重的孤影，
深垂著頭，只雙手在微動，

我聽到了聲聲斷續的叮咚，
這不是懊咽的寒漏，是金聲。
我看它眼裏滴一條黑綫，
我還聽到叮咚掩不住的長歎。

二二一年歲暮。

32

壯士心

江菴的夜和着靑燈殘了，
壯士的夢正燦爛的開花，
枕着一卷兵書一支劍，
燈光開出了一頭白髮。

突然睜大了眼睛，戰鼓在催他，
(深殿裏木魚一聲又一聲)

33

跨出門來，星斗恰是當年，
鐵衣上響着塞北的朔風。

前面分明是萬馬奔騰，
他舉起劍來嘶喊了一聲，
從此不見壯士歸來，
門前的江潮夜夜澎湃。

二三年一月十一日於青島

34

自白

我是平凡，心永遠在泥土裏開花，
再不去做那些荒唐的夢，
這世紀，魔鬼撕破了眞理的面孔，
還給它揑造了無數的詭名，
思想，一條透明的南針，
永不回頭，我朝着前進，
像一隻大鵬掠過了蒼空，

翅膀下透出來一串響聲。
百鍊的鋼條鑄成了我的骨頭，
那麼堅韌，又那麼多的鋒稜，
不受生活的賄賂去爲它低頭，
喧囂的大河是我的生命。
你相信風能撼搖鐵的樹頭，
可是你更得相信我這個心！
（血肉可以給刀刃剁成爛泥，
然而骨子永遠是我的！）

36

在這一片撒謊的日子裏，
我給人間保留一絲天眞，
我是熱情，要用一勺沸水
去澆開宇宙的堅冰。
恐怖就讓是六月的淫雨，
我却能估得透它的壽命，
並不膽怯，你看臉前那一列人影，
（無數的心在我的心上跳動）
我將提起喉嚨高歌正義，

不做畫眉願做隻天鷄。

一二三年一月一四日

38

弔

像枯木的寒影，這凋零的一排，
你更給凋零擴大了空隙，
愜意的過去最怕上心來，
然而今夜，你叫我如何關緊記憶？

剝開守歲的心的年輪，
(你的和我的那青的一段)

一圈展不盡的笑紋——
罩上了一層永久的黯淡。

家人從今沒了新歲，
蒙頭睡過這元旦的早晨，
用一串最忌諱的眼淚，
滴穿了一萬重迎心的歡欣。

黃河岸上，遙遙地

三千里外的天涯，
縱使生死不是異路，
一個沒頭鬼怕也難還家！

二十三年舊曆元旦於故鄉。

元宵

天上一個好月亮，
沒有風，什麼都很平靜，
家家門前的燈光
也亮得很穩，
徹夜的爆竹，把無數的歡心
開花到天上。

42

今夜，遙想枯瘠的鄉村，
多少兒童
手把住大門，
望穿了一條黑巷，
大人合起感傷的眼睛，
一片榮華在臉前浮蕩。

一一三二年元宵後數日於青島

村夜

太陽剛落，
大人用恐怖的故事
把孩子關進了被窩，
(那個小心正夢想着
外面朦朧的樹影
和無邊的明月)

44

再撚小了燈，
強撐住萬斤的眼皮，
把心和耳朵連起，
機警的聽狗的動靜。

二三年三月二二日於相州

無窗室

搬下來了，我搬下來了，
從那座摩天的石頭樓上，
像一隻黃鸝蹬開了喬木，
一頭棲下了萬丈的幽谷。

在樓頭，我的心晒不上太陽，
望望海濤，我拍一下窒塞的胸膛，

46

我身邊死釘着一個鬼影，
白天黑夜一點也不放鬆。

我閉上了這一扇門扉，
四壁一齊瀉下了光輝，
一隻黑手摺煞了世界，
在這裏邊我呼吸着自在。

一二三年二月一二日於相州。

答客問

我才從鄉村裏來，
這用不到我說一句話，
你只須望一望我的臉，
或向着我的衣襟嗅一下。
我很地道的知道那裏的一切，
什麼都知道，
像一個小孩子知道母親一樣，

48

他清楚她身上的那根汗毛長。
你要問什麼？
問清明時節紛紛細雨中
長堤上那一行煙柳的濛濛？
還是夕陽下，春風裏，
女頰映着桃花紅？
問炎夏山澗沁出的清涼，
黃昏朦朧中蝙蝠傍着古寺飛翔？
還問什麼？

問秋山的秀，
秋風裏秋雲的舒捲，
無邊大野上殘照的蒼涼？
我知道你要問冬夜裏那八遍鷄聲，
一個老嫗搖着紡車守一盞昏黃的小燈。
你要問這，這我全熟習，
可是我要告訴你的是另外的一些事。
你聽了不要驚惶，也無須歎氣，
那顯得你是多麼無知。

我告訴你，鄉村的莊稼人
現在正緊緊腰帶挨着春深，
他們並不會放鬆自家，
風裏雨裏把身子埋在坡下，
他們仍然撒種子到大地裏，
可是已不似往常撒種也撒下希望，
單就叱牛的聲音，
你就可以聽出一個無勁的心！
他們工作，不再是唱嘔嘔的高興，

解疲勞的煙縷上也冒不出輕鬆，
這可怪不得他們，一條身子逐着日月轉，
到頭來，三條腸子空着一條半！
八十老嫗口中的故事，
已不是古代的英雄而是他們自己，
她說親眼見過長毛作反，
可是這樣的年頭眞頭一回見！
憑着五穀換不出錢來，
不是鬧兵就是鬧水災，

62

太陽一落就來了心驚，
頭側在枕上直聽到五更，
飢荒像一陣暴烈的雨滴，
打得人心抬不起頭來，
頭頂的天空一樣是發青，
然而鄉村却失掉了平靜。

一二年二月二一日於相州

民謠

剛才我從街頭過，
聽到一羣村兒唱歌，
他們用手指着太陽，
脚蹂着地，齊聲高唱。

提到這支歌眞叫人心驚，
曾使得一個暴君投身火坑，

54

今天它來得眞也奇怪，
今天是一個什麽世界？

一二，三，二四，於相州

生命的叫喊

高上去又跌下來，
這叫賣的呼聲——
一支音標，沈浮着，
在測量這無底的五更。
深閨無眠的心，將把這
做成詩意的幽韻？

56

不，這是生命的叫喊，
一聲一口血，喊碎了這夜心。

一二三年四月五日於相州

新年

眞不容易，辛苦了三百六十天，
才熬到一個新年；
然而有了這一天，
三百六十日的辛苦全釀成了甘甜！
無分窮富，通把頂吉祥的話
寫上了大紅的迎春的新聯，
古樸的山村，聯文多顚倒了上下，

58

那關什麼，新年怎麽辦都是吉祥，
爲圖吉利『有』字都是倒轉，
牛欄豬柵也貼滿了吉慶的字樣，
忙年的人連起了日夜，
男女雜在一起，忙在手上，
口裏的故事講得却那麽安閒，
老女人用最虔敬的心祈禱上天，
祈禱一件一件，
聲音低微得只有上天才可以聽見。

59

把年夜起身的方向，
開口的第一句話，
先牢牢的記好，
再把應該廻避的弄個停當，
用草紙擦一下孩子的嘴，
再對神稟告：
小孩子無知的話權當是屁響。
夜來的爆竹從每個人心上響起，
（這時百神一齊下界，

60

沒有一個心不是嚴肅！)
震散了一切的晦氣，
迎來了一個元旦的旭日。
拜年的人們結成了隊伍，
一隊一隊隨處裏發現，
剛從新裝裏辨出了人面，
老遠送過來一聲祝福，
深閨裏的嬌娃今天也把臉露給春風，
幾世的仇敵也用了笑臉相迎，

街上，糖球桿子插成了樹行，
孩子們包圍成一條胡同，
賭博場中上下着一列頭顱，
錢像水淌，桌面上一片響聲。
是那個先聖訂下了一些忌諱，
勤苦的人在這天也不敢做營生，
每個人心像一支漏，
遲遲的滴打着快意的安閒，
從多少世紀就這麼下來，

62

一年的辛苦報答這一天。
今年的年頭百事反常，
新年全沒了往昔的景象，
雖是還用著古老的形式，
形式內剝盡了甘甜的孃！
老女人的祝辭上全沒了信心，
小孩子的手頭再不是那樣大方，
大人們低着頭哼一聲就算是祝福，
接着是一聲悠長的嗟歎！

是什麼抓去了天下的人心？
看！大家用一臉愁對着元旦。

一二三年四月十日於相州

64

都市的春天

一隻風箏縊死在電桿梢，
一個春的幌子在半空招搖，
這裏沒有一條紅，一條綠，
做一道清線記春的來去。

東風在臭水上揚起了波瀾，
窮孩子在裏邊戲弄着春天，

偏體不綴一點布塊，
從天上掉下來一身自在。

工人們摔掉了開花的棉襖，
陽光攢入了鐵的胸膛，
他們有力的伸一伸雙臂，
全體的生機順着風長。

高樓上的人應該更懶，

66

一個夢遠到天邊：
深巷裏一聲賣花，
一雙蝴蝶飛過了南園。

一二三年四月二八日

場園上的夏夜

我永不忘記太平年代的夏晚，
夏晚鄉村裏那戀人的場園。
蝙蝠翅膀下閃出了黃昏，
蛛網上斜掛著一眼熱悶，
推開飯碗，擦一把臭汗，
大人孩子提一領蓑衣跑去了場園。
場園上沒有不快的牆垣，

68

風從禾稼聲中吹來，全無遮攔，
像四面的清流洩下了山巖，
各人揀好一塊地方，
坐臥那全憑自己的心願，
先來後到的一陣亂打招呼，
（從脚步上認，全用不到看臉）
時間候到了最後的一人，
一輪滿月正掛在東天。
樹影在這羣人身上亂掃，

掃淨了一切，只一縷看不見的香煙，
氤氳在人和人中間。
大人的臉對著天空，
心裏念著一些星名，
他們用星決定未來，
銀河絃上繫著命運，
一顆彗星偶然掃過，
給他們添了一份担心！
小孩子強支住恐怕，閉著眼，

70

(黑影裏沒法看那張臉!)
用拔不出來的耳朶聽紅毛的鬼怪
從大人口裏慢慢的跳出來,
直等到媽媽隔牆遙呼,
(呼聲裏帶着親愛的駡辭)
纔哀求大人送他們家去,
眼縫裏閃來了遠處的鬼火,
拚命的掣緊大人的衣角,
夜裏來一場心跳的夢,

一個紅毛鬼打一個燈籠。
夜在塲園上飛，人却不知覺，
不知覺的淡盡了天上的星月，
陽光撥開了隔夜的眼睛，
爬起來，只覺得一身露重。

一二三年七月五日。
村夜恐怖不敢眠，
對悶熱的燈火成此。

72

傅東華主編

創作文庫

（十四）

罪惡的黑手

平裝每冊實價四角
外埠酌加寄費

著作者 臧克家
發行者 生活書店 上海福州路
印刷者 生活印刷所

中華民國二十三年十月初版

中宣會圖書雜誌審查會審查證審字第十一號

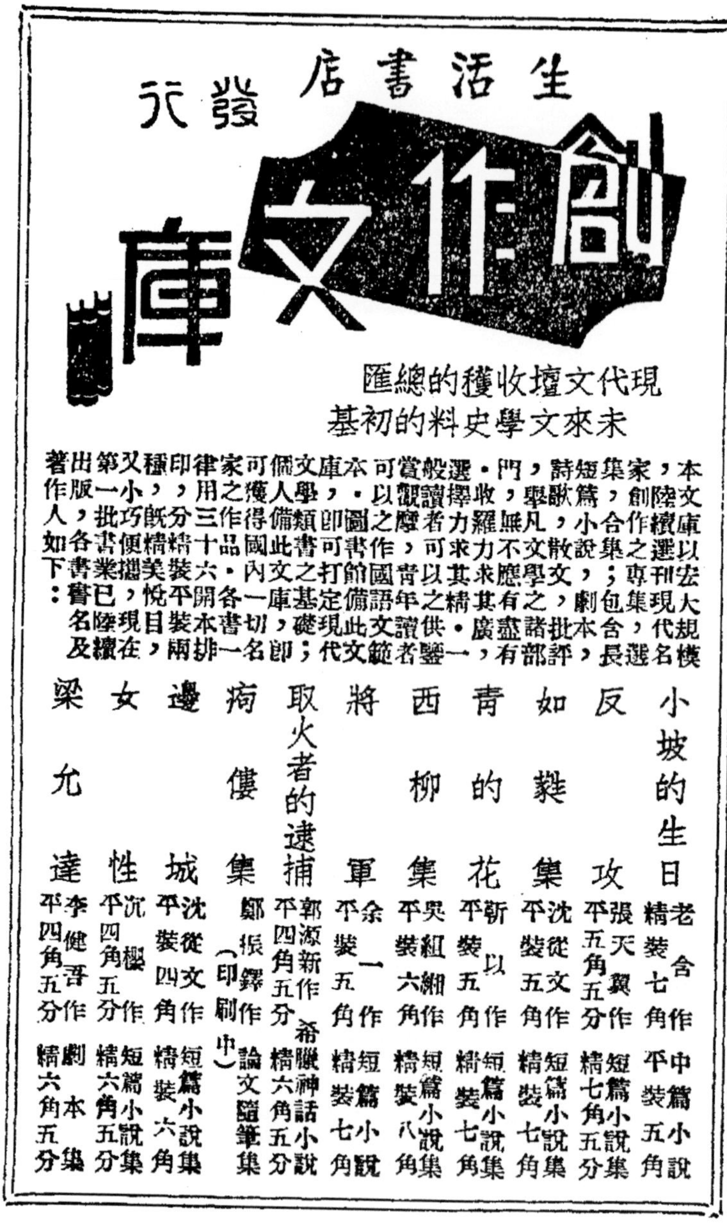

生活書店
發行
創作文庫
現代文壇收穫的總匯
未來文學史料的初基
本文庫以宏大規模，陸續選刊現代名家創作之專集，選集，合集；包括長短篇小說，劇本，詩歌，散文，批評，舉凡文學之諸部門，無不應有盡有・收羅力求其廣，選擇力求其精・一般讀者可以之供鑒賞觀摩，青年讀者可以之作國語文範本・圖書館備此文庫，即可打定現代文學類書之基礎；個人備此文庫，即可獲得國內一切名家之作品・各書一律用三十六開本排印，分精裝平裝兩種，既精美悅目，又小巧便攜，現在第一批書業已陸續出版，各書書名及著作人如下：
小坡的生日 老舍作 中篇小說 精裝七角 平裝五角
反攻 張天翼作 短篇小說集 精七角五分 平五角五分
如蕤集 沈從文作 短篇小說集 精裝七角 平裝五角
青的花 靳以作 短篇小說集 精裝七角 平裝五角
西柳集 吳組緗作 短篇小說集 精裝八角 平裝六角
將軍 余一作 短篇小說 精裝七角 平裝五角
取火者的逮捕 郭源新作 希臘神話小說 精六角五分 平四角五分
痀僂集 鄭振鐸作 論文隨筆集 （印刷中）
邊城 沈從文作 短篇小說集 精裝六角 平裝四角
女性 沈櫻作 短篇小說集 精六角五分 平四角五分
梁允達 李健吾作 劇本集 精六角五分 平四角五分

自己的寫照

臧克家 著

文學出版社一九三六年七月出版。原書三十二開。

自己的寫照
臧克家作

自己的寫照

臧克家作

上海生活書店總經售

中華民國二十五年七月

自己的寫照

每冊實價四角五分

著作者　臧　克　家

出版者　文學出版社

總經售　生　活　書　店

中華民國二十五年七月

自序

這一年來新詩不幸的走了霉運。重要的雜誌都不肯割一席地給它，似乎新詩只合塡空白和綴報屁股。本來自有新文學以來，新詩的成績比其他部門有些遜色也是眞的。不過，要明白這是表示了新詩正需要着更大的努力，新詩的革命比其他部門難而建設起來更是不易！人人都好意的提攜它，培植它，創作者用斬荆披棘的精神努力開闢它的前途，還不敢說將來能否開出一朶動人的花，那堪一些人反用「下井投石」的心摘它，摧殘它呢！

在這一年中我用冒火的雙眼看過了不少的怪論，不消說耳朵中也常響着關于新詩的帶刺的話。一切我容忍着，我知道空口的駁辯是不會說服一個人的。

爲了新詩缺乏更大的供獻，如是，便有人「因噎廢食」索性否認了新詩的前途而勸人開倒車。十年的努力一筆勾消，重新回頭去摹仿初期詞味濃重的調子，這成什麼話！寫詩的一般人們各人圈在一個小天地裏抱緊住自己的小調，自唱不足，更結黨成派的招搖，吶喊，做出一些與時代背馳的不想叫人看懂的東西來以自炫奇，什麼神秘派，四行詩，不一而足！因爲這一些歌詠幽情，歎逝傷別的東西，所以新詩才失沒了雄偉斑斕的光輝，才被人瞧不起而打進了冷宮裏去！這還不夠，又從而徵引外國人的話以自壯，好似新詩只應寫得短短的，因爲這樣才夠得上蘊藉。又有意貶自由詩似的，說自由詩在西洋詩中，也僅僅掙扎了一個地位。這全是形式主義者想掩飾空虛的內容而弄的一套把戲，他們決不想從內容上去給新詩造一條光明之路！

對于這一些怪論我容忍着！

年來許多青年從不同的天涯投信給我，問我關于新詩的意見，我不能說，因爲我沒法指出眞實的例證來，話說了沒有力量。譬如我說新詩應該走向博大雄健的路，設若他再反問怎樣才算博大雄健？你將如何申明呢？

對于這一些詢問我沉默着。

我口裏雖然不發議論，然而心裏却種下了試試運用大材料實踐素願的希望了。

4

自己的經歷的確可稱得起是一首悲壯的詩。每次記憶一亮，心立刻會跳動起來，有如讀了一篇動人的作品。一個破落戶出身的孩子，眼看風雨蝕爛了門前的旗杆，眼看自己的老的爲了革命失敗帶着假髮流亡，眼看一列親人叫病魔用最毒狠最慘酷的手一個個掇走！又親身試過北伐前黑暗勢力的高壓，爲了尋求光明，冒着死，換個假名字背着家庭英雄似的出走。在強度的革命光度中把雙眼磨亮，把心也變了另一個樣，披上二尺半，去四十天的戰場上作一員戰士！得勝歸來，人間變了樣，而自己也成了危險人物，逃亡，繳械，直至遭逮捕去作萬里的流亡，而至今還留着一雙不服氣的眼睛看大時代中急變的一切！

我取了這一個故事。

一個偉大的藝術家都具有一副不惜自己的鮮血塗成一件偉大藝術品的精神。有如：情願犧牲了自己的骨肉而鑄造干將莫耶的人那樣的癡誠。在大學裏念西洋文學史，見到一個詩人的偉大作品，都是從早就有了企圖的，這對我是一個刺激。然而想想個人的一切，未免又自餒了。不過，燕雀似的心，老是羨慕着鴻鵠的翅膀。

在這風雨飄搖的大時代中，一切都在動搖，一切都在呼喊着新的生命，這個偉大的事實太大了，壓得我心痛，看得我眼中冒火，一想到我的詩句，唉，太慚愧了！就是呼喊個一句半句，好似六月夜間的一隻蚊子，那聲音太可憐了！同時讀到人家放情歌詠自己的長短句，心裏笑了；然而含着淚，淚是弔詩壇的零落的，是弔詩人在枯墓裏作太鬼氣的沈吟的！

讀到人家「非小說家不能寫故事」的高論，心老是有點不服，是嗎，詩竟是這樣沒用？不服氣的手提起來寫「自己的寫照」。

寫這篇詩的經過讓我來說說：揭開我的詩艸，翻到前年十二月的時候，上面有個題目叫「羣鬼」，下面綴着四个句子。這便是這篇長詩的前身了。那時我想寫幾個可以作爲典型的鬼，來反映現實的各方面，第一個是我死在南方的朋友，他代表爲革命而犧牲的青年，再則依次寫義勇軍，寫爲思想而囚在監牢的志士，寫水災，寫旱災，……「秋夜的枕頭上長不住安眠……」，結果寫了四句就放下了，因爲覺得自己的力量太拿不動這個題目。

去年暑假去青島，記得有一個昏瘖的晚上，我同劍三叔同到老舍兄家中去玩，三個人挨坐在一張沙發上縱談着一切。後來話落到自己創作的身上了，那時劍叔，正在寫他的秋竇，老舍兄問他打算寫多少字，回答是二十萬，接着老舍兄也把他年來的創作大計從心裏搬到口上來了。他說他老早就有志寫一部二百萬字的長篇，從庚子之亂寫起。他談論的時候非常高興，他說這文章得快寫，現下還有一個有關係的老年人可以告訴給他一些重要的材料，譬如北平的老話，及街道

7

的舊名等。他一霎又嘆氣，經濟幾時才允許五年的餘暇呢？這一晚，不覺談到深夜，我們冒着漫天的海霧回來，身上全打溼了。

「你看，誰不有個大的企圖呢？」躺在牀上問自己。一股勁湧上心來，臉都發燒了。

暑假以後回到學校來，足以叫人悲歌慷慨的事情如急流湧來，這一切，一個稍有血氣的人是無法閉上眼睛說它是個夢的。看見一些人被這大潮流摔了下來，因而把頭縮到腔子裏去喚酒喊女子，另一些人却用生命去實踐個人的信仰，去推動時代的輪子。我呢？一時拿不起槍杆來，然而我可以拿起筆杆來。

于是，「羣鬼」一變而為「自己的寫照」了。

8

寫的雖然是自己，不過實際上不過用自己作了一條經線而縱橫的織上了三個時代。在裏邊，個人的活動是和着時代的拍子的。我不敢說這篇詩是一面大鏡子，可是至少可以作爲一個管子而去窺天大的三個不同的時代。你說這算故事詩，好；說它是篇史詩，也有點彷彿；雖然我並沒有有意去把它向這方面寫。

這篇詩我本打算寫一千餘行的，後來因爲事實不許把筆放開，只好把許多具體的事實抽象的說了，結果只寫足了一千行。

新詩的前途要光大，除非做到以下的兩個條件：第一內容充實，第二須用堅實明快的句子表達出來。這篇詩我是照這個標準做的，至於是否達到如人意的程度，我不敢說，這得憑讀者的眼光去衡量，因為作品一問世就成了公衆的東西，說好說壞全看人家的胃口了。

寫這篇詩共費了一月另四天的工夫。不是每天都寫的，腦子日夜的運用在佈局，剪裁，鑄句造字上面。一旦醞釀成熟，這才用筆把它寫在本子上。半夜裏忽然想起一個字下得不妥，便趕快起來亮燈改正，這才能安心就寢。起先寫得很慢，因為時間不是自己的，隨着鈴聲上下班，一堆一疊的卷子，壓得人耳鳴心窄，那有工夫讓你作分外的事情呢。

寫成頭兩段寄文學，經傅東華先生急索全稿，於是乎便把卷子央友人代改，廢寢忘餐的趕，一寫一個半夜，詩成了，人也瘦了。

劍叔屢次來信叫我多加修改，以求此大作的完善，這叫我非常感

10

動，目下草率的半生的東西太多了，而自己計劃一年始就的一篇大點的詩，違背了親友關切的囑咐，違背了自己的心，終於帶着許多缺陷叫它與世人相見了。最後應該謝謝傅東華先生給予的鼓舞。

二五年一月三日燈下于臨清

自己的寫照

（一）

秋夜的枕頭上長不住睡眠，
小屋有如枯墓的陰暗，
是鬼的舌頭在舐着窗紙？
一點燈光閃出一眼藍。

1

是什麼聲浪從八方湧來，
叫着我的名字呼喊？
一回又細細的向我耳語，
一回語氣轉成了指點，
忽然變得像三峽的湍流，
挾着憤怒朝我耳中直灌！

像被正義敲着了瘡疤，
羞色燒熱了我的瘦臉，
輕喟了一聲，

21

捫一下自己的心，
我試它
像滾圓的紅日在胸中動轉！

當一匹倦驥吃一踢馬刺，
還會向前搶上一步，
我，一個年紀剛傍午的青年，
能甘心讓毀滅挖斷生命的根土？

我長着一雙眼專爲了向前看，

4

性子硬朗得比嶺頂的窩藍，（注一）
因爲生我的村子像一尊孤島，
傲岸的睥睨在莽莽的土海間。

身子是支敏感的水銀柱，
測透了七情高低的度數，
人生的影像在眼前，

注一　係一種小鳥飛越高鳴聲越起勁　嶺頂所產者叫聲勁
故吾鄉有　「嶺頭窩藍—叫的硬」一歇後語

誰知已有多少次的變轉，
我像一個小孩子
從洋片的鏡頭中
拔出了驚奇的雙眼！

小時候，門前禿頂的兩支旗杆，
像兩位枯朽的老人
指示着，叫我在西風裏
聽聆他道出榮華的那一段。

5

匾上的黃字褪淨了金光，
叫一屋炊烟薰成個黑臉，
這比方是面空洞的古崖堐，
斑剝中印下了潮流的線。

前朝的腐屍裏滋長了精英，
時勢將迫出敢幹的英雄，
混亂的江山等着人收拾，
天下的人心迷了道路，只須一個人登高一呼！

6

六曾祖手中的大旗一揚，
十萬叛徒立刻嘯聚，
「窮困的人我們是兄弟，
同在這面旗子下奪取富人的粮食」！
事實還沒有釀熟新的時勢，
龍顏大怒，
一口噓倒了
他苦心壘就的官級。
一身硬骨頭，
一身全是胆，

7

親口告訴我這個孩子，
他說「官家就是人民的奴隸」！
祖，父，叛逆的事跡我可說不清，
（書生造反，你知道，
全憑一時義氣的激動，）
只記得他們把禍亂帶給了家庭，
娘娘帶我到山村去逃命，（注二）

注二　母親

8

風聲火急，故鄉旦夕就要挖成了坑！

我曾在故紙堆裏發現過
他們流亡的記事：
六月天，假髮上蓋一頂硬的帽子，
像一個幽靈逃避太陽，
像一顆炸彈向幽僻處滾，
沒有誰大胆敢來惹逗，
可是最親切的故舊
也都用恭敬的雙手把你捧走！

驚，氣，牽去了我的娘娘，
那年我整整八歲，
清楚的記得，老哥哥担一担菜籠
我跟他去拜一座新墳。

大大的心一半屬革命一半屬女人，（注三）
姑們常指着我身上的時式花衣笑問，

注三　父親

10

「你知道外邊的那個娘娘
給你做來的這一身新」？

當人人愛他那頭絲髮的時候，
八叔手中的剪刀咬去了我那條小辮，
一條身子穿着兩個時代，
大清的江山也叫我那條辮子摔開！

跨下的竹馬馳去了我的童年，
夢裏騰雲的翅膀從此折斷，

我剛估透了天眞的價，
天眞便一手把我推遠！

從此我便招來了魔鬼，
（這可不能埋怨，
誰叫你身上先自燃了慾火！）
化一千個樣它向我誘惑，
人生的棋盤上原有一定的着，
可是青春這一步最容易走錯！

12

和別人一樣，我也會玩過愛情的火，
幾乎把顆心叫它燒爛，
冒着死，在音樂聲中
送我愛的人到人家的牀前！

像童年的日子裏沒有黑天，
悲哀的來永遠是一串！
眼看病魔的慢口
咬着大大生命的根，
它不叫他即死，

它愛聽他那接近死亡的呻吟！
三年的工夫壁上印上了他的偏影，
(可憐漸細的氣力
不讓他的身子轉動！)
貼身的褥子漬得血紅！

眼看着瘋症的毒手
接連着掇走了我心上的衆親，
看戲的時候從此知道爲悲劇落淚，
悟開了歡笑不過是一時騙人！

14

窮鄉的景象我告訴你，那我全懂，
因爲我的身子原就在這裏面扎根。
我知道一匹布得用多少線縷，
得熬多少燈昏的五更，
鐵梭磨硬了人的手掌，
連眼睛，連雙脚，連心，一齊隨着它跳動。
冬天裏，一條破單褲灌飽了風，
像挑起一個不亮的燈籠，

15

說來或者你不見信，
穿布的却不是織布的人！

鄉下的莊家漢是蜜不齒蜂，（注四）
忙碌一年是一個乾掙！
春天坡下有他們的影，
夏天坡下有他們的影，

注四　蜂之一種　專司釀蜜　蜜成他蜂即逐之故吾鄉有「屬蜜不齒的—乾掙」一歇後語

16

秋天，把粮食送去給財主添囤，
嚴冬裏，守着冷炕頭，
喝着西北風，掐念着季候的早晚
打算着明年的春耕！

我聽到四十歲的窮光棍仰天歎氣，
窮得上吊找不到一條繩子。
看見過害着熱病的孩子哭着親娘，
含一口冷水把雙眼合上。

17

有意作個對比，老天也生了另外一羣，
他們有眼却五穀不分，
一條聖虫守護着萬年不斷的囤，（注五）
陳草垛熬白了野狐的鬢根。

華堂頂上的鉄馬金獸，
朝着天空呼喚風雲，
好用風的清雲的白

注五　吾鄉傳說　囤中有聖虫　則糧食永吃不盡

18

剪一身悠閑送給貴人。

天生的土地誰劃上的界線？
黑字寫給他阡陌一片，
寫給他一個個莊村，
還有裏邊所有的活人。

被抽盡了鮮血的奴隸
還得含着笑死，
我看見打着旋風的主人，

19

一跳三尺，喊着「揭鍋，退地，封鎖門！」

我看得眞多呢，我看見生活的圈子
在每個窮人的頸上縮小，
「人生不是一條坦蕩的大路」，
從此我的臉蒙上了嚴肅！

（二）

時間的針倒撥上十年，
黑暗的鐵箍捆住了濟南，

口上給你築一道長堤，
把一把火點在人心裏！
殺人的佈告一天一千張，
一千個人頂着一個罪狀，
聽說古時候會活埋過六十的人，
這時，年青的却有點不穩當！

一個軍官抱一支大令，
像巫覡頂起了個大的神靈，
一隊大兵簇擁在身後，

21

冷的刀光直想個熱的人頭！

帶殺氣的號聲叫過了，
一面大旗牽着一列兵，
一萬個馬蹄震聾了大地的耳朵，
全城裏抖滿了將軍的威風！

無頭捐稅的毛細管，
抽淨了老百姓的血，
養肥了大馬，開拓了槍林，

22

漲大了將軍的一個野心！

地獄裏人民的苦慘他全不看見，
不惜十萬金買一個心歡，
人民一齊唱起了「時日曷喪」的歌，他全不聽見，
他要一手握住宇宙的關鍵！

他要在青年胸中撒下密網，
不讓你心裏長住個思想，
他要檢查書本上的每一個字，

23

想使中原的文化倒過頭來長！
狀元舉子彈去了冠上的塵土，
舊的靈魂裝飾成迎時的幌子，
揹出幾年的偶像來泥上新金，
要用死的木牌壓倒活人！

黑暗的肥料更容易催革命抽芽，
這一次的算盤他却是反打，
任他的巧嘴給事實扭花，

24

我們的耳朵偏會聽反話。

槍桿可以勾人的身子，
可管不住人心，管不住它
像深更裏的母親盼一個遠行人，
日日夜夜一齊盼着南軍。

深夜裏學校遭了包圍，
叫囂的聲音像鬼在叫人，
死亡的翅膀將向着誰撲？

25

恐怖浮起了楞鷄一羣。

一支晃動的燭光照着亂忙的手，
挖開地板向裏面塡書本，
誰想多年累積的這一份產業，
這時竟成了要命的禍根！

不穩的信件一齊交給火，
火口一下子吞不了這麼多，
紅頭拖一個焦尾亂竄，

26

人人一眼清淚，一鼻子辣烟。

過了一夜像過了一場拂曉的戰爭，
早晨的太陽又在天邊發紅，
身子掙出了死的擁抱，
心上還留着當時的戰驚。

像千斤石底下曲生的樹身，
一羣友好結成一個心，
秋夜大明湖上有我們嘔的血水，

（天地黑成一塊墨，
湖上只有凄涼的分。）
我們也會登上千佛山對天揮淚；
上天有眼只爲了照顧威權，
宇宙得憑自己親手去扳轉！
此後黑夜教室裏的冷桌子
會告訴你我們的祕密，
另一個靈魂
附上了我們的身子。

28

十月的天空排滿了雁行，
向着温暖它們駕起了翅膀，
冷籠揷不住心的候鳥，
排成人字，我們要撲向南方的太陽。

一紙八行書寄走了家庭，
慷慨的氣勢如烟雲行空，
每個字激動得要衝破信套，
像寫它時候我們的心跳！

沒一點眷戀，像一位高僧
記不起當年那一頭絲髮，
沒一點顧惜，把家庭丟却，
像一個壯士赴敵那樣洒脫。

全不記起
祖父捋着鬍鬚
板着鉄臉
傳授給的那舍利子一般的庭訓，
也不想

30

老人在燈前
念這適些字句
將用着怎樣的一顆心！
至今還記得劈頭快意的那一句：
「此信達時孫已成萬里外人」

一個青年不聽時代的呼喚，
等到白髮把壯志縊死？
臨別朋友們壯行色的豪語，
至今還响在我的心裏！

換一個姓名，換一身衣服，
像過關的子胥，
一夜愁白了精神的頭髮，
謝謝天，密網孔中走漏了鞏魚！

我們站在船頭上聽黑夜的海嘯，
我們用放大的心向背岸嘲笑，
我們胸中落下了無邊的天空，
我們將看見明早的太陽在大海上發紅。

32

（三）

大江從天上擺來了腰身，
逆着它的銀鱗我們上溯，
一萬聲自由的波濤叫着我，
叫我到武漢三鎮——光明的結穴處。

兩岸的村落用青眼迎人，
十月的江南是小陽春，
像一隻青鳥要掙向綠林，

我把不住胸中要飛的這顆心。

誰的手把宇宙割成了兩片？
南方是白晝北方是黑天，
長江何幸，把波浪暢洩到海洋，
黃河，它的弟兄，却叫窒塞橫住了胸膛！

武昌這座斑剝的古城，
背起蛇山，遙對着夏口和漢陽，
像三位不死的壽星，

34

面對着東流的江水
閒話人間的興亡。

剝開二千年記憶的塵土，
磨出了周郎的風采，綸巾的孔明，
還有揮動着八十三萬人馬
橫槊賦詩的那位名士英雄。

爭奪江山的砍殺給它的創傷，
將永遠掣着它的心痛，

千萬架枯骨換來個新的朝代，
這古城，它記得歷代帝皇不同的姓名。

雙十給了它個新的生命，
北伐使它反老還童，
武昌有知也該古樹開花，
放開老眼，把個新的估價
給這兩次不同的戰爭。

破軍帽，爛子彈殼，枕藉在城下，

36

含笑的骷髏守着這一堆，
這一篇戰跡勝過十萬句話，
憑你想：一羣敢死隊
叫一個信念瘋狂了，
忘了死，爭着爬上雲梯
用血肉去碰敵人的槍刀！

偉大的犧牲，
內向的民意，
倒了強權，

武昌城頭迎風豎起了正義的大旗！

我，一個黑色的身子
投進了它亮堂的胸懷，
一股突然強烈的光明
刺得我雙眼不敢睜開！

革命是面占風的鷄旗，
人心一齊隨着它轉，
又像是一支屹然的天柱，

無數的星羣圍着它繞圈。

光明的鏡子反映出自己的醜惡，
卑劣的宿根交給意志的鋒刃，
前日我讓他死掉，
叫正義的火鍊一條新的金身。

從五千年的地獄裏大衆爬起來，
在光天之下直一直腰板，
誰是主人？誰是奴隸？

一時抹去了這一條界線。

脫下了銬鐐，披上了自由，
天堂地獄一反手之間！
他們認識了自家也認識了宇宙壁壘，
武裝了身子也武裝了心！
像憤怒的東海，駕起了驚濤
向西方倒灌，看那個蠻勁！

我登上黃鶴樓百尺的石階，

40

對着大江舒一口氣，
它曲着身子，擺着尾，
喋喋波浪的小嘴
朝着我說個不休。

立在樓頭，聽不到五月的梅花，
飄滿了江天，只聽見
悲壯的軍號，悲壯的歌，
從人心裏叫起勇敢！
西望漢陽，那裏是

萋萋芳草的鸚鵡洲，
叫人憑它去想像一個禰正平，
天賜了八斗才；賜了一身殺生的骨頭？
只望見兵工廠粗大的烟筒，
像一支時代的喇叭吹向天空。

帝國主義的軍艦像十月的落葉，
編成一條鍊子鎖住了大江的喉嚨，
一個力量動搖了宇宙的老根，
他們怕得發抖，

42

想用威風撲滅這把火，
鎮壓住中華民族偉大的靈魂！
大衆把生命作了孤注，
爲了自己也爲了民族，
十萬人頭在我眼底閃動，
像大海上起了暴風，
簡直是瘋狂了，
忘了槍彈可以在身上穿洞，
他們呼嘯着，舞爪着向租界地湧，

他們要給這個毒瘡
出一次最後痛快的膿！

我興奮得眼淚橫流，
跳動的心應和着羣衆的感情，
看工人粗笨的黑手
斬去電網的籬笆有如斬除心頭的恨，
繭森沙袋的脈龍
一齊掀入了大江，
看細沙像一粒粒罪惡的種子

44

流去了永遠看不見的遠方！

「不得了，不得了」！外國人抖着嗓子亂嚷，
嚷着擠上了船隻，
帶着挫了威風的臉子，
一陣風送他們去滬濱，
更送他們
遠遠的度過重洋。
（像五更頭一聲雄鷄，驚壞了幽靈，
沒命的奔逃踏着旋風。）

民力的標尺測透了強者的底，
不怕軍艦的探海燈半夜裏亂伸舌頭，
租界的樓頭插一杆三色的國旗，
這罪惡的黑窟，神秘的地域，
一朝踏亂了華人的脚跡，
還騰躍着一陣陣勝利的歡喜！

雜色的標語寫着方塊字，
傲慢的橫豎在發亮的牆壁，

46

一身破爛的工人抱一枝槍，
鎮壓着這個龐大的東西。

（四）

一條思想的線，
牽來了天下的青年男女，
像一堆雜色的鉄片，
投進了兩湖這革命的鎔爐●

削落了長髮——

削落了自私的根，
脫去長衫，穿上二尺半，
我們變成了另一個人。

一條身子配偶了長槍，
同時把心也許給了黨，
如山的軍令
要把靈魂磨成鋼條，
眼皮上，嘴角上，
掛着炸彈一般的標語和口號。

48

(要知道，那時的標語不是張空紙，
炸彈的口號有爆發的實力。)

軍號朦朧中叫我們起牀，
不問日子的陰晴
操場上
紛擾着喝呼的聲，
一個命令指揮着我們
在一條革命的線上立正。

軍號叫我們進飯廳，
叫我們到牀上去閉上眼睛，
也帶我們到十萬人的會場，
作一個浪花在激動的大海中浮蕩。

四壁高牆鎖住了人，
用可怕的平凡和瑣碎來磨鍊我們，
一千個口令改正一個少息，
三點鐘的工夫叫你疊成一牀稜角的被子。

50

六十個人和着槍住在一口屋中，
六十個不同的面孔却做着個同樣的夢，
半夜裏從被筒裏拖出來，
叫你去站崗，
不怕夜有多深，
我手裏把住一枝鋼槍。

星星用冷眼瞅人，
月亮給我剪一個壯影，
托起鎗來閉拔着正步，

要用步子的尺從黑暗量到天明。

春風吹綠了湖水，
吹綠了柳條，
從我們心上
卻吹不起兒女的柔情。
夏天，正午的太陽如逼汗的火，
照我們到野外去練習戰爭，
歪着頭，斜眼瞅着標尺，
一千個槍口瞄準着一個方向。

秋天心上落不下傷感，
朔風吹不透一身單薄，
痛苦在胸中打一個轉，
叫信心一點全化成了快樂！

（五）

三十萬大軍提調去北征，
把這革命重鎮
托給了我們
托給了武裝的民衆。

半天裏掉下個突然的事變，
背起全副武裝，
實上了子彈，
在黃昏朦朧時分，
在民衆歡呼聲中，
用着急劇的步子，
跳動的心，
實踐鐵的信念，
我們一齊飛向了戰爭！

54

鐵皮子火車星空做頂棚，
拄一枝槍像森束的林木，
人體打成了橫豎的肉壁，
在一尺的見方內大家一齊定了型。

火車的步伐好比牛車，
汽笛勤响它不勤動彈，
看天空的飛月逆着雲走，
火車的慢步在人心上磨起了火頭。

一夜磨消了路程五十，
車口裏吐出來勇敢的戰士，
冷風給人打一針興奮，
身子彷彿在新年的夜裏。

轟隆隆的大炮繞着雲山，
曉霧和戰烟攪做一團，
响聲成串的是機關槍，
鋼槍多過雷雨的密點。

胸中灼火，挺起胸脯，
提着長槍，
我們一齊跑上了火線
用生命去奪山後的太陽。

看扎翅的大旗向前飄飛，
後邊逐着蟻羣的大隊，
慷慨的衝鋒號跟一片殺聲，
怒氣漲得我的心痛！

看敵人隨着槍聲仆地，
像七月的高粱倒在大野裏，
耳際的槍子像死神的耳語，
猛回頭，鮮血糢糊了朋友的面目！

像吃人的瘋狗紅了雙眼，
一地死屍點不上一點心寒，
(更不必提那軍氈，飯包，……
像雨後落花的零亂。)
眼睛在標尺上吊線，

58

手托着發燒的槍筒，
只顧這一槍不是空發，
不管下一刻白肉開出紅花。

草堆裏呻吟的同志
向我求救，用了最可憐的哀聲，
一邊飛跑一邊答應，
一口氣轉走了山嶺萬重。

向蹄窩裏搶一杯污水，

像飲着瓊漿，不管小虫在舌面上動轉，
鉄盒悶了一整天的飯，
不等辨味早已下嚥。

鋪着綠茵，
蓋上藍天，
在槍聲的搖籃裏
抱着鎗作一霎假眠。

第一次戰爭我們占了先，

60

大家又在一個新地方會見，
「唔，他沒有死！」笑握住手
驚奇這次重得到晤面！

古寺的門口招展着大旗，
大殿裏倒滿了舒適的身子，
聽民衆的歡呼，聽怡神的歌聲
在女兵的喉嚨中快活的跳動。
咀嚼着慰勞的禮品
有如咀嚼着同胞的心，

61

一種澈心的感謝
壯起了下次再戰的精神！

在一個夜間，朗月打起了天燈，
照我們作八十里路的夜行，
四圍的山上倒洩下古松，
土堤把水田劃成了一萬方明鏡。
靜的脚步
不敢驚斷成陣的蛙聲，
大肚子蚊虫

62

也咬不醒累倒了的神經，
搜索着，搜索着前進，
只要步子一停，
手中的鎗也鎖不住
上下眼皮的鬬爭。

打一身重露，
腳掌上起了大泡，
趕到汀泗橋，
預備在這裏把這條命丟掉，

誰想撲了一個大空，
什麼時候敵人跑沒了蹤影，
立在橋頭看這自古的天險，
憑弔二十年來
殺身橋下的
三十萬無名英雄。
過威寧，
過蒲圻，

過赤壁，
過嘉魚，
一脚踏徧了千古的戰場，
沿途的民衆愛戴我們，
大道兩旁斷不了壺漿。

一師人馬平野中展開，
像一道長虹劃破了天空，
「民衆武力」的大旗當先，
老幼男女一齊呼着看女兵。

連鎖的骷髏剛要靠新堤，
民衆的歌聲在岸上响起，
提高嗓子大家來和答，
在革命的歌聲中我們下了地。

像一羣孤兒遇上了親娘，
我們身邊打滿了人的圍牆，
大人告訴着敵人的萬惡，
孩子牽我們去捉迷藏。

63

我們到處去捉土劣，
宣告罪狀得憑女兵的嘴唇，
民衆的勢力像高漲的潮流，
我們的心緊連着他們的心。

大江岸上我深夜去守衛，
說是對岸就伏着敵人，
臉前的黑凝成了一塊，
一伸手就可以叩出聲來。

眼扎在對岸，手扳着鎗機，
閃亮的螢光有意來逗你，
一鼻孔麥香燒起了飢火，
大江無形有聲的吼着！

（六）

四十日的戰爭我們從火線上歸來，
是幾時的暴雨
把這朵革命的鮮花
打落了色彩？

68

我們身上卸下了武裝，
標語的字句也全變了樣，
北伐已取得了中州，
鎗杆撥斜了革命的方向。

六月的××泉上
作了五千人的護生地，
（天知道這是爲了什麼！）
太陽的鋼刀活活
放倒了八十條身子！

69

長裙飄走了我們的女兵，
怪劇變換了我們的鎗枝，
什麼我都明白了，明白
一切都得從頭再開始！

大江上飄起一列桅船，
我們一齊跳到了上面，
竹杆點開了地雷的岸堐，
生命這才直起了腰來。

70

不怕毒烈的太陽，
雨衣做了篷帆，
船面上扎不住寂寞，
這船串起了那船的歌。

老天半途裏洒下了淚雨，
(是在弔人生
漩入了陰影？)
風力誘得江潮狂顛，

革命的歌聲追着風雨响起，
狂風暴雨追着革命的壯士！

潯陽的暗影迎着眼明，
心錨早已放開了長繩，
解放下背上的書，肩上的鎗，
(這一對的配合
才誕生了革命)
科侖布發現了新大陸一樣。

72

船口剛要吻着岸口，
當中隔一條水的舌頭，
提高了脚步一齊要騰飛，
一聲「繳械」！半空裏長滿了半截的木腿！

希望的火苗上潑一盆冷水，
一刻的死滅，醒過來更猛的火頭，
毒駡辣破嘴唇，
鎗杆搗得船身亂抖，
江面上一時紛落下紙葉，

怒浪把革命的種子漂去五洲。

岸上的鎗林向我們長，
心垂下了頭，一想到自己手中的破鎗，
照我們登岸的是
一萬注羞人的眼光
是西南天空的一鉤殘月。

一座莊嚴的大教堂守着個靜，
十字架托着黃昏的朦朧，

74

大庭院是主的世界，
低壓的樹枝像聖手
垂拂着沒膝的香草，
垂拂着我們鋼硬的頭。

我幻想着：一刻鐘以後，
一面機關鎗向着一排人張開毒口，
一陣聲响，拉倒了肉體，
叛逆的靈魂永久直立！

75

穿過九曲的小道給人送下鎗，
先去後來的摩肩在黝黑的小巷，
脚步拖搭着悲哀的地皮，看不淸面目，
只聽見一聲聲如怨如訴的啜泣。

我幻想的花沒有結實，
繳鎗又發鎗，
鎗枝僅拒了少數的分子，
變賣了雨衣，
攏來了朋友們的金錢，

76

順了他們指示的方向，
在一個民家換上了喬裝。

爲了革命我們連起翅來飛，
爲了革命我獨自北歸，
大家的肩頭上有同樣的重量，
一片豪語面對着大江！

微雨濛濛中偷眼送他們向南，
微雨濛濛中我踏上了江船，

77

船面上盡是些衣不稱身的人，
強作不識，暗笑着額上的一線白紋。

傷心兩岸的景色回憶着來時，
恨不是托身孤舟漂在大海裏，
一個關卡是一道鬼門關，
心中暗把生命分做若干段。

一次攏岸
像陪一場斬，

78

脚踏上了滬瀆
像踏入了絶途！

一眼陌生，腰間又斷了錢根，
一列樓台裏那能留人？
六月天，深色的長衫
招來了可怕的眼，
一切都可怕，
這裏活躍着正義的反面！

（七）

家裏的燈火昨夜可曾開花？
今午，七月的太陽照我到家，
一聲問安定住了祖父，
停一刻，眼睛才開始
從嶒嶝的骨鋒上
去想當年那一副面龐。

深宵裏，家人的語絲
像滴打的秋雨，
續了又斷

80

斷了又續。
是在夢中？小燈照我看祖父新的白髮，
看老人眼皮包不住的眼珠，
一點什麼發着亮光，
從合不緊的眼縫中滲出。

放下武器，像揭去了生命的符子，
病魔愛上了我的纖弱，
耳中給箝上兩曲蟬鳴，
一只手幫着我的心跳。

怕聲响的鉄錘敲斷我游絲的神經，
太陽底下我看見鬼魂，
天呵，給我力量，
我自己關不住哭笑的門！

北方這時正當臨明前的那一陣黑，
黑得可怕，
然而黑暗已裂開了大縫，
只須橫掃的一注暴風。

82

為播革命的種子，
換身衣服我深入民間，
油燈下，看給我的話頭
點亮的那一列黑臉！

「民間的人我們是弟兄，
在旗子下列起隊伍！」
拳頭一齊飛向半空，
齊喊一聲「在旗子下列起隊伍」！

永久忘不了這個日子，端陽的前夜，
新婚的愛侶還沒脫去紅裝，
二十枝鎗扎住了宅子的四角，
天遣老媪把消息透到東房，
慌張的樣子早點透了我預感的心，
不須她開口，四尺牆頭早跳走了人。

荒遠的山村另有個世界，
遠近的峯頭像八月的巧雲，
野花無名，綠林裏

84

有叫不斷的鳥聲。
河水是一道明媚的眼，
岸上的浣女是一道更媚的眉毛，
這世外的桃源留不住我，
我將去碰開陌生的遠道。

換一身衣服，換一個姓名，
東海飄我到天涯去飄零，
瀋陽有情留我暫住，
身子插進了鄉親的隊伍，

他們賣菜不讓我去，
留我守着一屋空虛，
出門頭上給蓋一頂竹笠，
還囑附着說「什麼事在這裏也不關乎」！（注六）

隔一道竹籬向鄰女借半條鉛筆，
在膝蓋的桌子上草好家書，
說一片隱語，落一個假名，

注六　不要緊之意

86

抑住心跳投進了郵筒。

天際的西風吹來了家庭的專使，
衣縫裏拆出來祖父的手跡：
「十年以內勿作家書，
在外珍重自己的身子，
天涯埋頭不怕嚴密，
勿學小兒思家的哭泣」！

一封信衝我又是三千里，

87

火車一程，水路一程，
一程一程孤身向天涯，
依蘭截斷了我的遠征。

看松花江串起撼人靈魂的大野，
看蘆花向青天扔開了白髮，
到此誰不展開心眼，
歎造化的神工，歎一聲這個民族的偉大！

用鍍假的話頭

88

瞞過了一位長輩的族人，
這才算尋着了飯店，
但又愁著無處安身。

冷風淒雨送我十里，
送我到江干
一家切麵舖裏
去伴一位賣卜的先生睡眠。
他高興給我送上一卦，
虛心使我報個假的生辰，

撚著長鬚聚起眉峯，
「你這貴人，怎麼八字
却犯了殺星!?」

後窗子背起一家野店，
雜色的人羣散佈着微菌，
半夜裏的淫語狎聲
把我從夢裏拉醒。

脫下清晨披起黃昏，

90

一個影子隨我的身，
對外人說是自己這裏有家，
到了家自己却變成了外人！

每次我低頭走過小巷，
板門中伸出些妖精頭來，
她們向我笑；我想向她們哭，
可是喉嚨却又放不開。

白天沒事替鄰女寫豔妮的情書，

下筆想起了自己的愛侶，
我曾放出相思的鳥，
但茫茫的雲霄迷了它的去路。

受命每天習蠅頭小楷，
說一筆好字可以換個飯碗來；
放下筆管我一人踱到江邊，
叫青山白水把心從愁裏引開。

八月的朔風飄來雪花，

八月的身子摸不到棉花！
法院的公案釘住了我，
叫我聽節奏的鎊鐐聲，
叫我筆下的黑墨
爬出些囚犯的罪名。
（要是你願意，我這時還可以背起
一個個成串的俄人的名字。）

白天，一位聽法官
鮮葉活枝的

93

說武昌裸體游行的故事，
這個嘴角裏填進去九鮮水餃，
那個嘴角外擠出的巧話成套：
「了不得，過四十的殺！
在官巷裏的殺！
有三十塊錢的人
腦袋就得和脖子分家！」
夜裏鎖緊住夢裏的口，
我欣喜，革命的風已吹到了塞外的秋。

（八）

94

二次到家沒趕上祖父最後的一口氣，
聽家人哭着說我給他造成的死，
望着死面我用心哀求，
哀求過來的祖父要恕革命的孫子。

朋友們的家屬聞風趕來，
向我立追他們的消息，
瘋了的母親拿我當仇敵，
抓住我交出她的兒子！
忍住心痛，我用口

吹給朋友們個生命的根芽，
然而我明白，砲火已把他們的白骨
銷燬在不同的天涯！
（他們是無恨了，骨灰
會培出希望的鮮花。）

看癡心的慈親燒起長命香，
問菩薩，問燈官娘娘，
挑起兒子穿舊了的衣服
憑着乳名到處遙呼。

紅裝的少婦恨死無情的丈夫，
日子蠶亂了心的牆壁，
春來倚一樹桃花，
凝眸向着天涯的路。

像一匹戰馬過了一千場戰爭，
身上的汗珠一片放明，
像一個星球摔開了軌道，
革命的隊伍裏我失了蹤。

七年的蟄伏磨去我的鋒稜，
心上常响着二月的雷鳴，
一千句謊蓋不住一個事實，
黑暗磨亮了我的眼睛。

當年的口號倒成了促死的咒，
期票，過時把它作廢紙，
眼看一些人的骨架
做了登雲的天梯。

98

世紀末的徵候
一天一天的明顯，
多少人喊着酒，喊着女人，
掣住自私的繩索。
拚命的打着秋千，
只要一閉眼那陣迷醉，
不管太陽照不照明天。

有的不敢面對現實，

鑽進故紙做一條吃書的虫子，
也有賣弄風情若無其事，
在世紀的尾巴上綴一個角色。

我看見窮苦的莊稼漢
在地獄裏滾着油鍋，
一隻無形的大手
扼死了他們的生命線。
弱者的脂膏
潤紅了強者的雙腮，

100

五千年來的農村
表演了第一次的大破產！

人患不夠，
雙管齊下又來了天災，
長江大河氾濫了洪水，
要把宇宙重新洗白，
貪婪的大口吞沒了莊村，
吞沒了肥田，千萬人結成大隊
散向天涯去碰生死的門！

旱魃却也不讓蛟龍獨擅威風，
它也主有了半個天空，
笑看平地裂開龜紋，
看農人一把心頭的火
放上了一坡沒望的田禾！

經濟恐慌的急流
漩倒了都市的榮華，
大減價的幌子像降旗

102

插在每一個商家，
支不住門面，報不下歇業，
放起一注內穿的火把！
工廠也閉上口
停止了氣喘，
奴隸們的血汗
再也變不成金錢！

我看見一些人爲了一個信念，
等時間磨斷手上的鐵練，

忍着刺心的侮垢
從一片玻璃裏望着明天！

我看見一支人馬
像一支火鞭，
帶着光，帶着响——
時代的風正助長着它的烈焰！

我用雙指去按世界的脈絡，
聽白熱焙出的囈語，

104

宇宙整個兒燒得燙手，
我知道，它在害着「一九三六」的症候。

看列國，誰也不肯示弱
爭着放飛機去剪塊天空，
在炮口的大小上變着臉較量。
誰也不肯居在下風！

把軍艦的魚羣放下大洋，
飄着國旗它瞪一身驕傲的眼睛，

霸佔住深邃的良港，
沒事也來回的抖抖威風！

拿破侖復活了，
迎風一抖，化成無數的靈魂，
在兩樣時代裏
它附上了一羣招邪的人身。
于是，他們便發起癲瘋，
坐在雲彩眼裏表演英雄，
口中噴出硫磺的氣味，

大聲向着全世界示威！

他們一隻手捺住脚下的民衆，
一隻手搖着小旗，
擺個人的隊伍
開向海外的殖民地。

爲了壯起個人的神色，
不惜把世界化成炮灰，
爲了骨頭上的一點殘紅，

藏起了理性，忘了幾千年攢來的這份文明，
毫不顧惜，要把全人類的命運
做一條斷線的風箏！

幾時聽見大氣會吹倒過人？
炮口也沒法嚇唬住正義，
飛機，大炮，坦克車，兵艦——
意人的軍庫全副展覽，
然而阿比西尼亞起來了，一點也不含糊，
在這些武器的面前

108

一點也不戰戰！

阿王誓師的時候，
用了怎樣的一隻手去擊鼙鼓？
它發出了憤怒的雷霆，
它發出了自由的金聲，
阿王手下的這一聲鼙鼓
敲醒了全世界上的弱小民族！

阿王和着他的官員，

同席吃起決心的戰飯：
用鋼刀剝下整塊的肉，
用白刃挑進了血盆的大口！
這時候，君臣心窩裏燒一把火，
民族的自由，自尊的心，
合糾成一條鋼條
撐起了阿國不屈的國魂！
他忘了把自己的土地揑成彈丸，
也塞不住敵人的砲眼，
他忘了用理智的尺度

量一下文化的高低和勢力的長短！
幾個月來，阿國的民氣和血肉
墜平了戰神手中的天秤，
意人的大話減了分兩，
這一炷火亮起了正義的金光！

埃及這塊踏脚的石頭，
也忽然翻起了身子，
民衆用血，用大手，
掣去頸上的鐵鍊大呼要自由！

掉回頭來看看自己；
把半個天下
幾千萬人民
做一片甜餅
惹出了敵人更大的饞心！
隔着長城伸過來大手，
可憐中原這一塊肥肉！
天空撤去了防衛的籬笆。
任人的飛機排成蜻蜓，

112

港口大陸擋不住人立脚，
小的是自己的志氣，大的是人家的威風！

洗磨淨商鼎周彝，
看一看上面寫着的字跡，
看一看中華民族的文化，
五千年前已開了燦爛的鮮花。

河馬出圖，鳳凰棲在百尺的梧桐，
這智慧的源流多耐人尋思，

第一次造字惹出了神鬼的哭泣，
智慧的金鈎挑破了宇宙的神祕。

翻開史書打上眼往前再看，
看有巢氏，燧人氏……，
看見了神農
人類才看見了糧食。
看大禹磨薄了脚掌，
鑿開龍門，撫順了洪水，
才有一片乾土

114

讓我們的祖先蓋上房屋。
看文王幾次的流轉遷移，
才把黃河流域撒上了文化的種子，
再看荊蠻百越的地帶，
蒙古滿洲的邊疆，
幾多的汗，幾多的血，
才開熟了這片片遠荒，
四萬萬人民，
一千萬方里的地面，
這寶貴的家珍

做了多少帝王的私產，
雙十的紅血這才把個民主的名義
寫給了天下的人。

但是今天，民衆白紅着眼，赤手空拳，
看「三一八，五三，九一八，一二八」驚心的事變，
看領土扎上了翅膀。
看民族的面頰給人批得火紅，
容忍，容忍，一千個容忍，
刀尖也測不透暮氣的淺深！

116

頭頂上火冒三尺！
不甘心伏首做人家的奴隸，
長白山下的義士
把森林做了家，抱一枝槍
在孤絶中廝殺，
我只見他們在生死的路上出沒，
可有誰給他們一點援助？

三百萬軍隊吃着老百姓，

何不禦敵開向邊疆？
天知道到底爲了什麼，
反把鎗口轉了方向！

冰筒封緊的思想，
遏不住的民族意識，
一齊舒發起來了，
像久結的層冰見到了毒烈的太陽！

聽誰在百尺譙樓

118

撞起了警鐘？
看民族的火把
徹天的通紅！
抱起迎風的大纛
高喊着自由，
先覺的青年
做了急進的先鋒。
大刀也砍不斷這口壯氣，
死都不怕，
還怕冷水澆頂

119

冷水給開一身冰花！

手掣住手，心靠近心，
悲壯的感情
傳染了人羣，
是時候了，
大家已經站起身來
不做任誰的奴隸
要做一個人！

120

時代的手掣動了
我頭上小的圈子，
幾年來
平淡的茶飯
漲大的肚皮
却餓瘦了靈魂！

今夜，古城的枕頭上
我再也合不上眼，
聽四面八方的聲

呼喊我再起來！

二四年十一月十六日寫起
十二月十日寫成
二五年一月十九日修補